Les ba

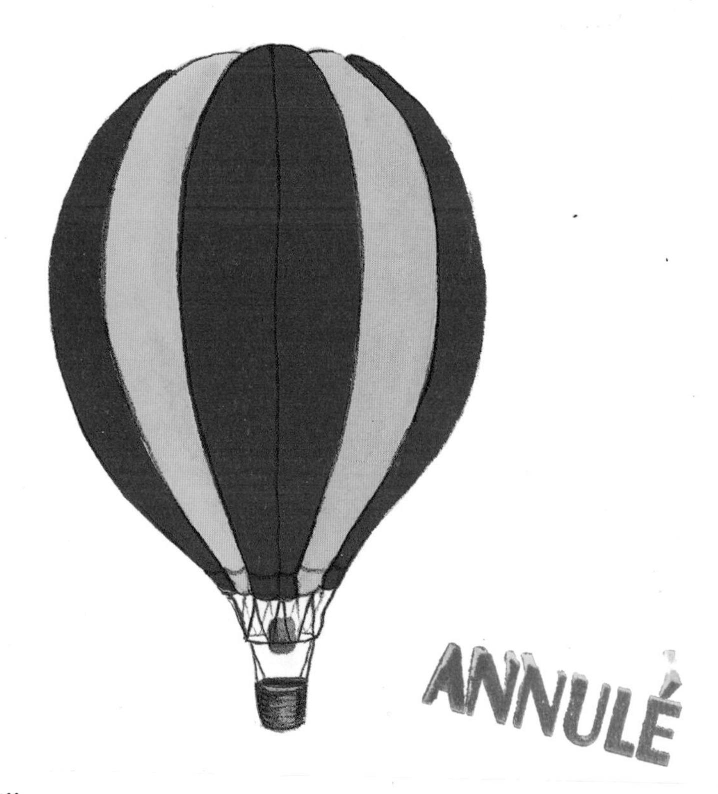

Illu

Beauchemin

Elle est
dans un ballon rouge.

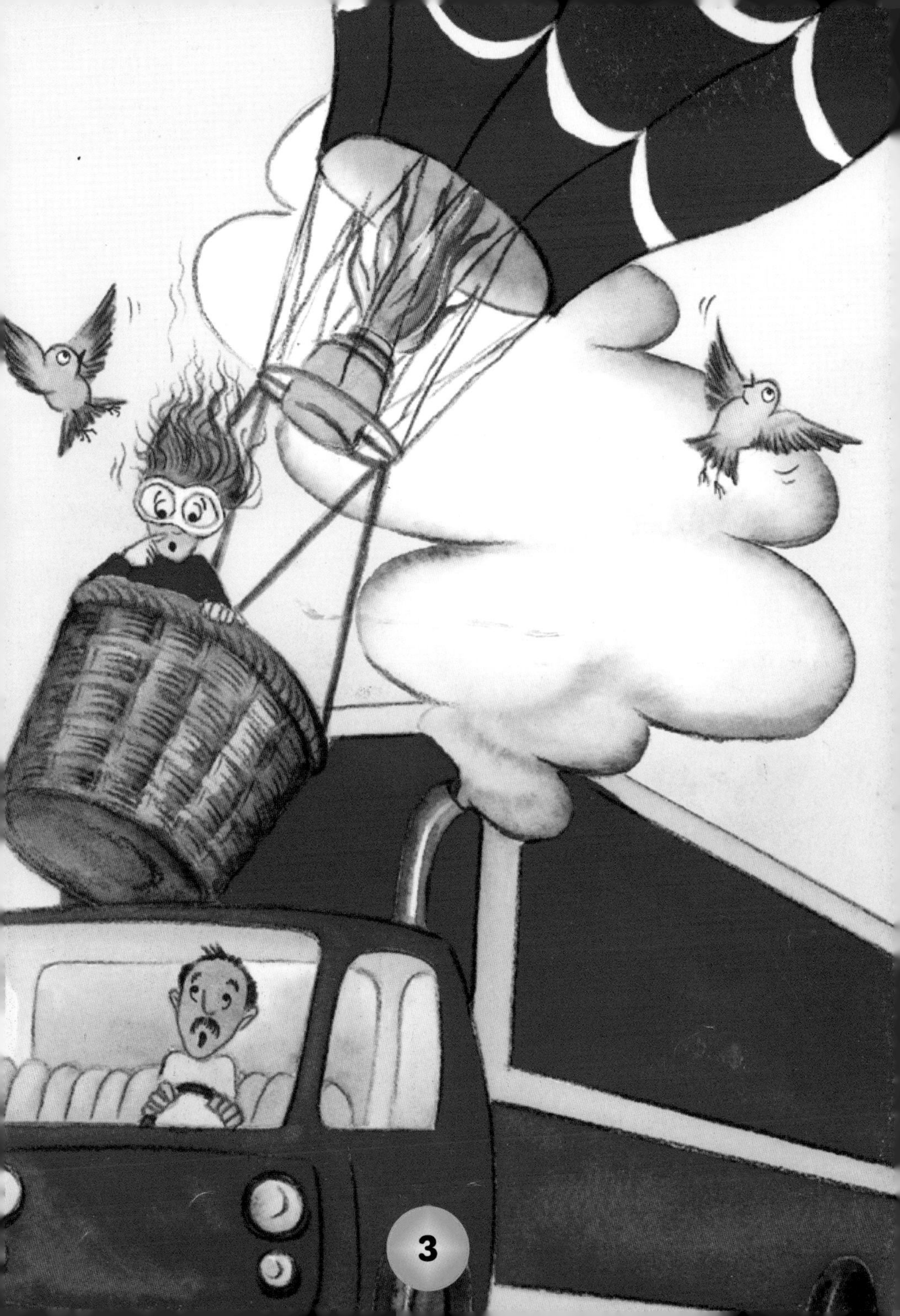

Il est
dans un ballon bleu.

Il est
dans un ballon vert.

Elle est
dans un ballon jaune.

Elle est
dans un ballon rose.

Elle est
dans un ballon violet.

Elle est dans un ballon multicolor

elle

il

dans

un

le

est

mets